謹以本書

獻給

我的外祖父、父母、蓮姨

In A Faraway place

心柔著

在那遙遠的地方

詩頌阿里山日出

心柔

天空隱藏著一幅畫
隱藏著如謎的神奇
剎那間 變成
半個 炙熱火球
再望山脈上，已經
呈現 一團火焰
萬丈光芒
光芒萬丈

我 迷失於曠野千古的神奇
陶醉於人間的仙境
在 凌晨五時四十六分
阿里山上

9.17.2005

摯愛翱翔詩空

一信

老詩人胡品清教授介紹法國詩人保羅梵樂希的詩，稱讚其詩爲：「有音樂節奏，數學的精確，繪畫的美麗，雕像的冷靜。」無疑地這些事項，也成了部分唯美詩人寫詩追求之標的。孔子於刪詩畫，定禮樂後，稱其整理『詩經』的宗旨是：「詩三百，一言以蔽之，曰：思無邪。」

近讀女詩人心柔的詩，對這些話有更深切的體認。

心柔女士與筆者過去爲同一詩社同仁，曾於開會時見過兩三次面，乃首點頭之交。現因她出版詩集，經同仁推介，索序予我，筆者雖感力有未逮，但爲慶賀她處女詩集出版，並基於詩友間互相切磋與鼓勵，亦樂於勉力爲之。

心柔女士的詩，整體來說均短小精鍊，婉約柔美，且結構嚴謹，主題集中，詩語言流暢，所欲表達之事物及情感，皆能樸實眞摯清清楚楚表達出來，絕無矯情巧飾之弊，更不標新立異或炫奇弄怪，讀其詩如與好友傾談知心話，尤其值得稱道的是，她用「愛」爲主軸，從多方面推進這一主旨的開展及表達。他的詩中有近在身邊之父母、姊妹、女兒及外祖父母的愛，也有對千萬里外異域震災受傷害者及戰爭、瘟疫受苦受難兒童的愛，時間距離上更有對六十年前受迫害之慰安婦的愛，同時也有對殘障者、精神病患者、宗教、故鄉、土地、藝術等等之關懷。例如：他寫母親的愛：

小時候，媽媽
暖暖的背窩
揹著我
『一眠大一寸
一眠大一尺』
妳輕輕地唱

想起媽媽
消瘦的容顏
雪白的鬢髮
她操勞的一生　祇爲
我們長大

媽媽的偉大
我永遠不能
忘

《揹著我長大—給媽媽的詩》

這首十三行寫母愛的短詩，第一段用溫馨樸實的鄉土語言及歌謠，寫兒時感受到的母愛。第二段寫出現在之母親給予她的感受。最後一段寫出對母親感恩的心境。全詩一氣呵成，主題明確，詩語言溫婉簡潔，結構完妥，將感受到的母愛與對母親的愛，表達得非常親切與深切，至爲難得。

再看他於父親七十八歲生日所寫的一首詩，全詩五段十九行，他在第三段及最後一段寫著：

爸您要的不多
一碗熱熱的炒麵
您已滿足
原諒我
付出棉薄
而您

付出一生
老爸，如果可以別再沉默好嗎？
好想擁抱您一下
《沈默之傷—寫給親愛的老爸》

垂老之年的生日，子女給他一碗熱熱炒麵，就已心滿意足了，這個滿足，是用他一生辛勞所換來的。這短短的幾個字，寫盡了台灣現時父親與子女間交織之過程、心境及結局。最後兩行中，她表達出了父女間代溝所形成的窘境與她難以擁抱的親情之深愛。

在關懷非洲部分貧窮地區瀕臨死亡邊緣兒童之《救命第一線—關懷飢餓三十》一詩中，第一段即開門見山寫出：

一個營養不良的兒童
一個體重不足的兒童
一個忍受饑餓的兒童
一個逃不過死亡的兒童

這段詩作者採用蒙太奇影劇跳接鏡頭藝術表現手法，將「一個兒童」因「營養不良」而

「體重不足」，進而因「飢餓」而「死亡」的景況，一一跳接呈現在讀者的眼前，表達手法不凡。文字讀來不但有音樂節奏感，且表達苦難兒童景況亦甚準確，將一幅瀕臨死亡瘦弱兒童，用黑白畫面攤在大眾面前。這不正如胡品清教授所說之「節奏」、「準確」、「畫面」及「冷靜」訴寫之雛形嗎？

她爲六十年前被誘騙強迫淪爲「慰安婦」，至今仍倖存的老阿嬤訴出之心聲，亦至爲動人，該詩的第三段寫道

抗戰期間
日軍以誘拐強擄手段
欺凌亞洲貧女的罪行
慰安婦　無可倖免
慰安婦　無可脫逃的
俎肉命運啊

《寄旅世間沈默的傷痕》

短短六行文字，將當時在軍國主義專制制度下的弱勢婦女之悲哀、無奈、悽慘命運，表達得至爲眞切，尤其「俎肉命運」四字，讀之令人心酸。較之當時身爲日本皇軍且親身蹂躪

過慰安婦，至今猶聲稱「他們都是自願的，自認光榮的……」之那些人，品德、人格眞是天壤之別。

這本詩集中，以愛爲主軸之「思無邪」的作品非常之多，無法詳作介紹，另外以寫景、詠物、抒感、愛情、宗教、時事……等等爲主題的佳作亦頗多。如《詩頌阿里山日出》一詩之最後一段：

天空隱藏著一幅畫
隱藏著如謎的神奇
刹那間　變成
半個　炙熱火球
再望山脈上，已經
呈現　一團火焰
如　神的降臨
萬丈光芒
光芒萬丈
我　迷失於曠野千古的神奇
陶醉於人間的仙境

在　凌晨五時四十六分
阿里山上

這段詩的前兩句，寫等候日出人們的心情，寫得非常深刻而有創見。接著，描寫日出的景象及自己的心情，非常逼真而具震撼力，讀來令人感到詩中有畫，也令人感到如看到一幅色彩鮮豔的好畫。

再看另外一首風格及表達手法與前詩完全不同的《石膏像的自白》：

沒有靈魂的
石膏像
懸在寧靜孤獨的
壁上

晝　不見暖暖陽光
夜　不見霓虹閃耀
只能默默
望穿空白的畫紙

六色五顏的彩筆

獨自淚　流

這首詩僅有短短的十行五十三字，卻寫盡了別有感懷的天下傷心人。也許，作者是借「石膏像」以托物抒感，表達出自己的哀傷。據作者在她出版的第一本作品《戰勝自己》中，曾敘說她曾有過一段傷感的日子—其實在台灣現實的生活中，除了極少數人外，幾乎每個人都有一段傷感的過去—於是，作者就借懸掛在牆壁上石膏像，用「借代」手法，以具體代抽象藝術方式表達出自己的傷感。她覺得自己是懸掛在牆上，上不見天，下不著地之石膏像，白天見不到促生萬物的陽光，晚上，看不見代表繁華生活的霓虹燈，只能默默地過著空白的生活，沒有色彩，沒有歡樂，孤單地流淚。同時，這首詩也流出了天下相同命運之子的傷心淚。

請在看另一首風格，表達手法又完全不同的詩：

五月高山飄著層層薄霧
鳳蝴蝶　小松鼠
山麻雀合奏著
春的交響曲

五月的山　穿著迷人晚禮服
向著呼吸的海洋邀舞
跳一支春的圓舞曲

五月油桐花開似雪
片片雪花飄滿地　飄在我髮上
飄在暖暖春風裏

《五月雪》

五月會下雪嗎？在台灣曾經於五月下過雪嗎？這首詩的題目就引起讀者的詫異與注意，其實，作者衹是在心目中追求一個純淨潔白的意象世界。第一段，她將白色的霧形容爲輕飄的雪。第二段她則將海洋中湧起的浪花，認爲是捲起千層雪之雪，第三段，她更將開得滿山遍野隨風飄舞的油桐花認爲是雪花，這樣，五月的台灣，由山到海至大地，不是到處都是雪嗎？這不正是她意象中之潔白純美世界嗎？這首詩的詩語言，節奏輕快，句法柔美，且充滿歡欣的童趣，整首詩呈顯出一幅美好的童話世界的畫面。是一首很難得的好詩。

這本詩集中，佳作甚多，無法一一作介，請讀者慢慢自行品味吧！

綜合而言，女詩人心柔，感情豐富、情感眞摯、詩情濃郁、詩感銳敏，且多以愛作詩題材之主軸，並至情追求美感，同時也排斥醜惡與關懷弱勢之人士，柔性批判社會之不公不義，故而能創作出很多動人心弦的好詩。

詩語言方面，則流暢清晰，以概念及敘述爲主要表達方式，偶而也運用意象語言及象徵借代、比擬、明暗喻手法成詩，但運用不多。

近代學人王國維在《人間詞語》中曾言，若要獲得大的成就，必需要經過三個階段：「一、昨夜西風凋碧樹。獨上高樓，望盡天涯路。二、衣帶漸寬終不悔，爲伊消得人憔悴。三、衆裡尋他千百度，回首驀見，那人正在燈火闌珊處。」心柔女士早在十八歲之求學時代，即熱愛新詩，立志寫好詩。當然符合上述的第一階段了。再近兩三年來，她非常努力地創作新詩，據她自述，幾乎到了廢食忘寢的程度了，因此在短短兩年，即創作出了這本詩集出版，而且還剔掉了很多她不滿意的詩。這情形也頗貼合上述之第二階段。她現在正掙扎在「衆裡尋他千百度」的「尋他」階段中力拼。筆者建議她，應多多追尋新的創作技巧，加強詩的藝術性及詩的張力及深度，如創作新詞彙、新的詩語言—尤其是意象語言。同時也要熟諳新詩的諸多創作技巧，如意象、形象之塑造、象徵、類比、比擬、明暗喻及借喻、、等等甚至後現在之拼貼、轉換、反諷、後設文學等等、、技巧的瞭然於胸、伺機活用。以心柔女士的智慧與功力，假以時日，必能「回首驀見」創作出最好的詩。女詩人心柔出版處女詩集，我們僅以此爲勉爲祝，並拭目以待其大成就。

二〇〇五年九月十一日於台北

自序

一、詩情

畢生一直是詩的讀者。

十八歲熱愛的文學是詩，三十八歲後重拾禿筆，閱讀的也是詩，所以它一直是心中至愛。

若問我何以鍾愛？我的回答是讀詩如賞花，美感只能體會，無法言傳，記得多年前患牙疾蜂窩組織炎，須拔牙三顆，痛苦中憶念的是詩，近乎渴望！託摯友帶來詩集，剎那間心情轉爲愉悅。

二、詩緣

年少時期，常閱讀現代詩（即新詩），尤其體會『書中自有黃金屋，書中自有顏如玉』之道理。某次閱讀時，知曉古代一詩人，名爲王世貞，與筆者姓名僅一橫之差，至爲訝異！

心中立志未來寫好詩，成爲詩人。

二〇〇三年出版第一本作品『戰勝自己』後，友人贈與一本詩集，而認識知名詩人雨弦先生，後應邀高雄廣播電台訪問『戰勝自己』新書，此後，開始搖筆桿創作新詩之路。

二〇〇四年夏天，歸鄉。

故鄉的一草一木依然秀麗，華夏處處金碧輝煌。遺憾的是，至愛的親人已逝，風中的故鄉，猶存異鄉人的我。

永遠沒有人知道，懷鄉的我依舊一往情深。所以願將永恆的懷念，化爲縷縷輕煙，寫成美麗的詩篇。

三、生活即是美麗的詩

生活是詩，世間美好的事物皆是詩，沒有詩的世界，人生多麼乏味，有人說，「詩人是不停戀愛的人，每位詩人都是一位偉大的愛人，這世界誰能拒絕戀愛呢？」因此，寫詩吧！朋友。

兩年來懷一份赤誠、一份堅持，克服種種困難，完成我的第一本詩集。我的詩集即將出版，感謝詩友的勉勵，尤其，感謝一信先生的指導與祝賀，才能順利完成本書，未來我將繼續努力，不斷超越自己，已達更理想的境界。

這本書是屬於大家的，願能陪伴讀者自在徜徉詩的國度裡。轉眼中秋已至，秋意漸濃，隨筆寫下唐・張九齡先生的詩句：

『海上生明月，
天涯共此時。』

它，代表此刻的心境。

心柔　寫於桃園演說家

二〇〇五年九月十五日中秋節

在那遙遠的地方

目錄 CONTENTS

卷二 重逢不是夢 Reunion Is Not A Dream

卷四 藍色的聲音 The Voice of Blue

卷五 永恆的戀歌 Everlasting Love

卷六 台灣情 Affection for Taiwan

卷七　世界愛 Love to The World

附錄

桃園大溪風景區留影（2005 年 6 月）吳雅芬攝

花蓮兆豐農場留影（2005 年 6 月 1 日）

關懷桃園榮民之家病友、贈新書。與精神科主任合影（2005 年 6 月）

五月油桐花開，片片雪花飄落，飄在我髮，飄在衣襟上

（2005 年 5 月桃園虎頭山）

母親於台北留影（二〇〇四年五月）

老爸78歲生日慶祝（於樹林合影）（2005年5月3日）

澎湖旅遊與母親留影（2000年7月）吳雅芬攝

全家福：爸爸、媽媽、小妹、靜如、弟媳婦惠芳、昱程、昱雯（於台北士林）（2004年3月）

與妹妹世華新竹內灣郊遊（2005 年 3 月）

與小弟世杰於樹林某餐廳合影（慶祝老爸 78 歲生日）
（2005 年 5 月 3 日）

於桃園春天農場與女兒合影
（二〇〇五年九月一日）

女兒雅芬於台南走馬瀨
農場留影（二〇〇五年新春）

於桃園春天農場與女兒愛琳
合影　（二〇〇五年九月一日）

夕陽西下的日本瀨户大橋美景（1997 年 5 月攝於日本）

與女兒雅芬桃園中信飯店合影（2005 年 6 月）

與好友素娥於台北中正紀念堂合影紀念
（二〇〇五年九月一日）

與好友素娥於台北中正紀念堂合影留影
（二〇〇五年九月八日）

秋天與好友淑霞於桃園文中心合影
（二〇〇五年九月十日）

卷一　歸鄉

歸鄉

二十年的滄桑
寫在歸鄉的腳印
總有些
近鄉情怯
彷如隔世

異域的鄉居
踽踽獨行二十年
告別南台灣竟也無比艱辛
月世界的奇美和小綿羊
無限依戀

33 歸鄉

歲月催人老
故鄉華廈　金碧輝煌
我宛如小草
暗夜裡
忽明忽滅的燈海光輝燦爛
忘了置身何處

風中的故鄉在呼喚
我聞到泥土的芬芳
見到人間的世外桃源

——二〇〇四年六月二日於故鄉桃園

永恆的慈顏

——懷外祖父

記憶的縮影
一張深刻難忘的臉龐
在發黃的舊時照中保留
在我心深處
夢中　您
殷殷的呼喚
我切切思念
如何追回往昔?

一個漆黑的黎明前
您悄然逝去

踩在霧深的靜夜
爲您奔喪
不信您眞的走了
也許您是太累而在搖椅上睡著

我一聲聲喚您
你卻以永恆的沉默
回答我

——二〇〇五年八月桃園

後記：謹以此詩永懷外祖父，感謝他爲我取名「世眞」。

母親的喜悅（爲我的出書）

遠處傳來佳音
家人燃鞭炮
噼嚦啪啦響
白文鳥生蛋了

好友賀電
記者採訪
大愛電視　錄影
廣播電台　錄音
電話聲續響
線的那一端
是媽媽喜悅的聲音
說：「我在××書局，買到你的新書囉」

這一刻，我開心
母親更開心
我們都笑了

我，見到母親未曾有過的喜悅
第一次

——二〇〇三年十月十日於高雄崗山

後記：民國九十二年十月筆者出版處女著作：戰勝自己

青春

沉澱流失的時光中
任歲月的痕跡
消逝
如何去追溯
青春退潮前美麗的影子
只駐留
我心深處

寂寞·旅人

當千帆過盡
行萬里路
終　回到舊時的家園
但　景物已非
故友遠去

哭泣的心
向誰訴説
脱胎換骨的
生命原是一次又一次的
淬鍊

五月雪

五月　高山飄著層層薄霧
鳳蝴蝶　小松鼠
山麻雀合奏著
春的交響曲

五月的山　穿著迷人晚禮服
向著呼吸的海洋邀舞
跳一支春的圓舞曲

五月油桐花開似雪
片片雪花飄滿地　飄在我髮上
飄在暖暖春風裏

乾坤詩刊十月出版

月夜

夜半星空
一輪明月乍現
啊！奇美絕倫

忽然飄來烏雲
天空一片暗黑
彷彿
無人的世界

心語二〇〇四

──寄給小妹

高雄──新竹不遠
奈何距離阻斷
搭飛機來看我
可好？
我去小港機場
接你

南台灣的冬天
出奇的冷
移民回國的你
說：「好想念 Los Angle

也想念你的好朋友
和你一起賞雪

風城住得慣嗎？
昨夜夢中
見你三餐都吃Pizza
怪不得　臉都圓了

莎呦娜啦

蓮華寺一隅

蓮葉田田映水濱
華陰道上四時春
寺院寂寂
梵音繚繞
一塵不染的睡蓮
靜靜綻放

寺裡寺外白衣大士
莊嚴
驚鴻一瞥
有一拈香女子
合十膜拜

一
心
虔
誠

後記：詩中女子膜拜神情，如詩如畫。
蓮華寺座落於桃園市郊，慈文路。

盲女

一位
美麗的女人
日夜
以淚洗面

淚 哭盡
眼 瞎了

她
心碎爲誰？
流淚爲誰？

一個
嗜賭如命
的丈夫

後記：桃園蓮華寺志工呂金蓮女士寫

故鄉之歌

─爲二〇〇一年（九一七）、（九一八）、（九一九）納莉颱風侵襲台灣

（台灣受難日）

深夜　夢中驚醒
在納莉暴風圈的威脅
彷彿永無歸期

思念隨風而去
一個遙遠　又美麗的地方
我聽到　唯一的消息

虎頭山上斷垣殘壁

南崁溪流橋樑沖毀
多少性命淹滅瞬間

那霎間
我聽到　故鄉在哭泣

清　晨　至　夜　黑、、、、、
黑　夜　至　黎　明、、、、、

——二〇〇一年九月十九日寫於高雄岡山。

後記：二〇〇一年九月十七日至十九日納莉颱風侵襲全台。
（北部受創嚴重，筆者心繫故鄉—桃園而寫）

卷二

重逢不是夢

生命之歌

緊握手中禿筆
揮灑人生的色彩
從崎嶇不平的山巔、海洋
河獄；山川到一望無垠的草原
在有限的生之旅程中
創造美麗的樂章

我是個孜孜不倦的詩人
在顛簸的沙漠上
歷盡滄桑
尋尋覓覓
祇爲唱一首

生命之歌

愛的憂傷

相見的時刻
你已漸漸蒼老
微風拂過你的髮稍
帶給我點點哀愁

相見的時刻
你的身軀已呈現老態
青春瀟灑的影子無蹤
濃濃的憂鬱浮現臉龐

含著淚　我不斷寫著
綿綿密密
被你感染的
愛的憂傷

初吻

在那屬於我倆的相思樹下
纏綿　纏綿
輕輕激起
千般柔情

擁我入懷
那一刻
我是最幸福的女人
閉上靈魂之窗
等候
在你扁型帽下的紅唇
獻給我最初的
一吻

相思樹下

心中永植
一棵
相思樹

翠綠常青
枝葉繁茂
終其一生
供人乘涼

數十年後
舊地重遊
相思淚

57 相思樹下

紛紛灑落
一地
相思樹下
少了一個他
只有我

重逢不是夢

—給 Lin Jane

妳來看我
滂沱大雨中　只有
一把傘

妳來看我
欣喜難掩
彷如千年

你來看我
心語萬千
暖入心扉

妳來看我
滋潤寂寞的府城
不再
　　孤獨

伊在新公園等候

執一份情懷
穿一件藍洋裝
期待的心
伊就在新公園等候

當我走過街道
闖過紅綠燈
穿過新公園
就可見到伊
可掬的笑容
熱情的擁抱

61　伊在新公園等候

啊！我要去赴約
執一份情懷
穿一件藍洋裝
伊就在新公園等候

隨緣

——給Lin Jane

就在蓮池之前
我把我的心願
託付給菩薩

再沒有什麼遺憾
可以去計較
眞的　沒有什麼
可以使我感傷的啊！

在千朵萬朵的蓮花開時

或許能相逢

而千頭萬緒的哀愁

在那一個下午　我把心情唱在

如詩的　歌聲裡

愛神

愛神已灑下天羅地網
網住了
你的痛苦　和
我的癡心

暴風雨來時

暴風雨來時
我在你的懷裏

你厚實的胸膛充滿年輕的誘惑
輕靠你的肩
緩緩走入夢鄉

雨停時　已過半生
人去
樓空

我不斷找尋

找尋昨夜夢中
魂縈夢繫的
你年輕的影子

凋零的心

失戀的心
像揉成一團的稿紙
撿起又撕碎
像斷了線的珍珠
模糊了
美麗的詩句
詩不成詩
句不成句
花園裏一夜　驟雨
灑落了一地的
那不是花瓣
是我
凋零的心

基隆廟口

一個膾炙人口的地方
聚美味於其中
一條長板凳
擠擠坐
多少饕客聞香下馬

一個歷史悠久的地方
城隍廟於其中
多少情侶漫步
星子瞇眼而視
一飽口福的人們

69　基隆廟口

一家百年美譽的小店
方寸之地中
傳來客人的聲音
「天婦羅，來一碗」
後來者一排站

一攤細細綿綿泡泡冰
香香濃濃於其中
嚐一口
涼在口中
涼在喉嚨
涼在心窩裏

石膏像的自白

沒有靈魂的
石膏像
懸在寧靜孤獨的
壁上

晝　不見暖暖陽光
夜　不見霓虹閃耀
只能默默
望穿空白的畫紙
六色五顏的彩筆

獨自淚　流

恍如一夢

重逢的今日
你翩然歸來
緊緊相擁
深情一吻

午夜時分
你悄悄離去
消失的影子

恍如一夢

卷三

風城——演說家

寫詩的女孩

多少殘留的
記憶
而今都已成往事
多少次
曾經以紙筆
向天説過
向地説過
向花説過
向雲説過
向鳥説過
向夢説過
向愛説過

也曾以淚水
向海説過
向河説過
向溪説過
向流水説過
向高山説過
向鏡子説過
向窗説過
向枕頭説過
向信紙説過
向照片説過
向筆説過
向星兒説過
向月亮説過
向太陽説過
向佛説過

向夢中人說過
我失去的愛情
是如何
又如何

漫步在雲端

擺脫一地的塵埃與噪音
登上二十三樓的屋頂
來到寧靜自由的
我孤獨的國度

天空雲彩繽紛
白雲以飄逸之姿
微笑
大自然的眞善美
在雲間

徘徊雲端

夏蟬叫聲唧唧
乳燕屋簷對唱

高空俯視下
人影車影交錯之縮影
在移動中
消
失

晨曦

歌聲
叫醒晨鳥
晨鳥
飛來唱歌
歌聲
叫醒太陽
太陽
叫醒雲
雲叫醒了晨曦

窗外的風

我曾撩起愛的心弦
愛情啊！我感到你最後的心跳
羞澀的面容卻藏著眞情

我曾寫著愛的詩篇
句句珍藏愛的淚珠
滴滴是哭瞎了眼的井水
絕望的手抓不住一把風

啊！愛情，等待之後就是痛苦
晨鳥在黎明前失去踪影
再也聽不到絕妙的歌聲

菩薩道

滾滾紅塵深似海
貪嗔癡念在心頭
無上甚深微妙法
百千萬劫難遭遇

心是佛
佛是心

觀音濟度
芸芸眾生

眞珠項鍊

——寫給女兒雅芬（五十生日感言）

不怨天
不尤人
數載別離
燕已歸巢

那年病中
悉心侍奉
衣不解帶
孝心難忘

今逢媽媽生日

83　真珠項鍊

妳　爲我帶上
一串眞珠項鍊
華麗璀燦
情
深
意
重

冬日·睡蓮

冬日
你繾綣花瓣裡
不見你撫媚的容顏

清晨
第一道陽光進來
妳笑了
我醉了

黑夜
妳垂著頭
閉上雙睫
入眠

蝴蝶蘭

淺紫的蝴蝶蘭
盛開嫣紅的笑靨
朵朵百媚千嬌
像熱情的少女

深紫的蝴蝶蘭
穿上華衣和華冠
朵朵光彩豔麗
是阿娜多姿的貴婦

白色的蝴蝶蘭
如詩般溫柔
朵朵純潔高雅

引我陶醉

嚴冬・台北

灰濛濛的天空
細雨絲絲　冷颼颼
吹皺了我單薄的風衣
依偎在牆角擋風
口袋中的雙手抖擻

卸下等待的心
欣賞身旁
冷冽刺骨的風中
紅了鼻子的女人
穿著厚衣還不斷縮著腳的男人

87　嚴冬・台北

看伊默默坐在冷板凳
不耐煩卻忍受著低溫的肆虐
等待　愈來愈長
寒風　遇刮愈大
歇止腕錶的時刻
只等
一班　遲來的公車

思念

一對耳環
失而復得
無限珍惜

似雪花般潔白
璀燦如銀
耳際傳來銀鈴似的笑聲

生命的列車
載我奔馳遠方
半個世紀

思鄉的熱血沸騰
如今凱歌歸鄉
而滄桑的二十年後
舊地重逢
爲何行同陌路

午夜時分
心碎
爲汝寫一首
眞摯的詩
（銀色耶誕節）

揹著我長大
——給媽媽的詩

小時候，媽媽
暖暖的背窩
揹著我
『一眠大一寸
一眠大一尺』
妳輕輕地唱

想起媽媽
消瘦的容顏
雪白的鬢髮
她操勞的一生　祇爲

我們長大

媽媽的偉大
我永遠不能
忘

短緘

——給 LinJane

擦肩而過
那張熟悉的臉
已然陌生
縱然
我倆生活於
相同的城市
呼吸
相同的空氣
但我
聞不到一絲　妳的氣息

颱風來前的夜晚

西天
佈滿一片紅霞
彩虹若隱若現

上弦月
高掛
風雨欲來
一個寧靜的夜晚

不再爲你寫詩

愛情　我等得還不夠嗎
紅顏等到白髮
等到眼睛模糊
等到青春老去
等到愛人離去

我的詩　找不回失落的愛
　　換不回遠去的你

愛已枯萎
將它埋葬

不再爲你寫詩
　　爲你等待

只要詩
再次復活

卷四

藍色的聲音

你的影子

什麼時候，你的影子
翩然來到我的心園
這詩意的影子
伴我長夜孤獨的靈魂
親愛的
爲什麼給我濃濃的詩情？
讓我醉在你甜蜜的臂彎
久久不願醒來

思念的絲路
帶我回到愛河的小船
依戀河畔溫柔的情歌

而停泊的碼頭
河水一波波
輕盪
滋潤我愛的心田

不必美麗的誓言
只要在你眸中
對我輕輕的注視
哪怕
只是短暫的一刻
就要別離

但　親愛的
請不要離開我
因爲
這一刻我已等了千年
也許冥冥之中

源於
前世的約定
遙不可及的前世啊

思念的時刻
你的影子是首美麗的詩
分不出是詩與你的歧異
當眞愛來時
我心悸動

奔馳的歲月裡
只願
追尋你的影子
直到永遠

悸動

素昧平生
一見如故
如此眞誠
句句肺腑

當你俯首讀起小詩
一心專注
唇齒之間
詩韻萬千
我走入詩的小站
　忘了天黑
　忘了點燈
流 連 忘 返

一滴情淚

午夜
一個聲音迴旋
誰在頻頻喚我

聲音多麼熟悉
音調溫柔婉約
夏日的午后
邀約
左岸咖啡館
咀嚼浪漫的氣息

103　一滴情淚

回憶像昨日吹過一霎的風
驀然回首
何處追尋

只能在暮色蒼茫中
偷偷拭去
一
滴
情
淚

距離

藏了許久如玫瑰般美麗的
愛情
悄悄對你告白
彷彿偷竊似的
臉紅心跳
我的愛人　靜靜聆聽

試著靠近你
一轉身
失去影蹤
我不明白
怎拋下孤獨的我

105 距離

冷冷的風
襲來
熱情的心
碎了
莫名的傷悲混和轟隆的火車聲
淹沒了
我

短暫的筵席

萍水相逢
如夢似幻

是難忘的心事
是記憶的影子
短暫的相聚
永恆的懷念

多少回
千里一線
我們讀詩
這感覺如何取代

不知道此刻我握著筆
將傷心的源頭述於
細柔的詞藻
是不是能留下
懷念的價值

夏蟬

清晨第一聲樂音
由遠而近
大而小
嘹亮優雅
喚醒沉睡的心

隨著音波
亦步亦趨
我的耳朵是蟬
充滿大自然音響
夏日歌手

109　夏蟬

此起彼落
吟唱
美妙的情歌

愛在何方

尋找愛
向北方
天之涯
海之角

向東方
追逐風
追逐雲

向西方
呼喚你
吶喊著

伊　卻遠在千里迢迢的
南
方

詩與詩人

異域
二十年
無夢亦無詩

詩只是一些詞藻嗎？
穿越時空的長廊

當我
翻閱用這樣的距離讀你
流連小詩森林
撼動心弦的
是詩還是
詩人？

走味的咖啡

詩般美麗的戀情
說斷就斷
空中樓閣
只留一杯
走味的咖啡

啊！這滋味如何形容：
斷腸人
在天涯

拭去

輕輕的
拭去你的名字
在我心間
那烙印深深的
痕

輕輕的
抖落你的影子
在我腦海
日昨的你遠去
傷痕與吻痕
在愛中釋懷

115 拭去

輕輕的
抹去我的幽怨
讓自己有
迴旋的空間
誰也不曾屬於誰
我依舊是
我

冰點

是誰點燃愛的火苗
燃燒後
沸騰

引頸而盼
卻
只是一場空

柔腸寸斷
瘀血
凝固
化爲
冰點

淡水漁人碼頭

碼頭上
藍色的
星空燦爛
仲夏的蟬
低唱

將思念
托付橋下的
海水
讓夢織在情人橋上
譜一首思念的詩
在夕陽
餘暉裡

憂傷我心

把編織成的綺夢打碎
把萌芽的愛苗折斷
枯竭的靈魂如一首憂傷的詩
雷陣雨淋濕了
九百九十九朵玫瑰花
花瓣上晶瑩的水珠兒
是我的
淚

古坑落霧

天空下著白茫茫的霧
車蜿蜒攀爬
一山又一嶺

心底的傷悲
只能寫一首詩
表達一絲絲
心海的聲音

冷冷的咖啡館　不見
卿卿我我的情侶
只有一個我

霧　漸漸深了
遮住了來時路
模糊了我的雙眼

走在迷濛的霧裡
走在古坑細雨中
我迷失了自己
何處是我歸程？

只有
一杯香濃的熱咖啡　伴我
一個落霧的午后

卷五

永恆的戀歌

海之戀

——寫給永恆的戀人

只因　心中戀妳
充滿愛的憧憬
魂縈夢繫的思念

只願重溫
千分之一的相思
火車奔馳北迴線
奔向妳　奔向妳

多少往事

123　海之戀

隨風而去
多少黃昏
海邊拾貝

追逐風
追逐浪
追逐看海的日子
年輕的儷影

歲月在白髮中踱來
如何追溯美麗的影子
海，枯了
伊人，何在

遙望藍藍海上
海鷗飛過
寫下一首愛的小詩

——二〇〇五年六月一日

後記：依戀花蓮美崙的海，永留心中，

大海洋詩刊第七十二期　九十四年十月出版

【詩簡】有一首詩

有一首詩
留在悲傷心坎
無人分享
無法投遞

有一首詩
留在午夜夢迴時
片片回憶　一次又一次
粉碎我的心

有一首詩
留在濃濃的霧裡
夜深人靜的時候
爲你寫一首美麗的詩

別再憂鬱

——給H

善良如你
笑顏背後一抹憂鬱
叫人牽掛

深秋楓紅
我的著作問世
上報、錄影
臉上難掩喜悅
你 爲我喝采

127　別再憂鬱

回眸
你依舊落寞
問君何有幾多愁

嚴冬　霜降
我把喜悅寫在詩裏
夢裏
心裏
……

請　別再憂鬱

冷漠

見你
逐年蒼老
我的眼睛看著
你髮上遺落的風霜

我怎捨得你如此憂鬱
甜言蜜語怎換冰心
猜不透你
用尺去量
用斗來測
用我的一生換
你的愛

129　冷漠

親愛的
奈何生命短促
青春漸去
日昨的我
再無奢侈的明日
了解你的冷漠

你怎捨得在我們重逢時
再將我深深的愛埋葬

無情大海？

對話

羊沈默不語
站在我背後
彷彿有
千言萬語

我帶一把草餵牠
牠 只嚼兩口
憂鬱的眼神訴說：
「我好可憐喔！每天被關著，
快變成憂鬱症了。」

我也沈默不語
同情的眼神

告訴牠說：
「我瞭解你。」

沉默之傷

──寫給親愛的老爸

無言的
默契
不能敲破

永恆的
距離
無法跨越

爸　您要的不多
一碗熱熱的炒麵
您已滿足

原諒我
付出棉薄
而您
付出一生

如何表達對您的愛
如何使您快樂
在您沉默的臉上
寫著孤寂

老爸，如果可以別再沉默好嗎？
好想擁抱您一下

後記：爲老爸七十八歲生日而寫

擁抱

久被寂寞圍繞的心靈已全釋放
在你雙臂圍護的擁抱中
豁然開朗
有一種幸福的感覺
永遠永遠

傷心的約會

你在沉默的淚中
端詳我
大悲水
沾你乾烈的唇
強顏歡笑
爲插管的你拭淚

轉過身
黯然心碎
手語是你表達的方式
親愛的
爲什麼躺在冰冷的
加護病房

跨越時空飛去看你
你只能
緊握我的手
不放

如果可以情願爲你
失去我的手
失去我的腳
失去我的胳臂
失去我的生命
換
你的生命

訣別詩

——悼顧醫師

人生原是一場悲喜劇
當離別號角響起時
我就要演出那
最最傷痛的一幕
最冷的冬季　爲你
寫一首
訣別詩

一生一世感懷的顧醫師啊
昔日照顧恩情重
曲終人散時

不管我是哭泣著
或者默默的與你道別
我永遠祝福您
天國安息吧

——二〇〇四年十二月六日

伴你走過生與死的斷魂嶺

甜蜜愛語猶在耳際
親愛的
爲什麼徘徊
死亡幽谷
長夜編織的戀
霎時成空

昨夜
你了無影蹤
獨向千手觀音問
君在何方

莫名的傷悲淚盈眶
情願爲你替代
也許你如風中燭
吾願隨你去

二度開刀
你被軟禁手術室
手術台刀刃太鋒利
刀刀割著我的心你的肉
我只能
只能向神哀哀的禱告

沾著你腦内的血跡
寫在祈禱經書上
寫在深夜長跪的腿
寫在傷心的斗室
寫在哭紅的雙眼

當你走在生死一線的
斷魂嶺
緊緊抓住你不放
千鈞一髮中
是我的手啊

親愛的
你腦中滲出那些血那些血塊
是昨夜我流下傾盆大雨的淚
是心中的痛和不捨
我是如此害怕
怕你消失於世界

也許神已聽到我的祈求
終於

你醒了過來

親愛的
只要你活著
只要我在你心中
只要世界不毀滅
我倆甜蜜的約定
永遠存在

愛在虛無縹緲間

或許你我的相遇只是偶然
像天空中飄忽的
一縷輕煙
夢幻般神秘色彩
使我迷惑
山嵐中霧濛濛的雲啊
輕輕緩緩的飄來
紫蝶兒飛舞
飛舞
成群………
我來到荒涼的曠野
空谷中一片
虛無

卷六　台灣情

祈禱六行

目光凝視槍擊報導　赫見
密密縫合的腹傷、腳傷

用沉默的淚筆控訴滿腔的哀傷
用疼愛的心　禱告
三一九眞相大白　向
天地諸神

台灣奇蹟

——三月雪

春天的眼睛
瞳孔黝黑
隱隱藏著奇蹟
三月的台灣
下雪了

阿里山
櫻花掩映枝頭
皚皚白雪
飄下

宜蘭太平山
天空輕輕飄著雪花
高山裝扮成
雪世界

屏東飄雪了
堆雪人
打雪仗
銀色世界美極了

三月雪啊三月雪
百年只
一見

後記：二〇〇五年三月十二日台灣桃園氣溫僅七度

寄旅世間沉默的傷痕

——爲六十年前亞州三十萬靈魂而寫

不能忘記
鐵盒裡的青春
鮮明的
阿嬤的臉
浮現
攝影集裡
眞相無法遁形
於世

奈何時光

流過一生　她
長夜裡征夢
只　求一個公道

不能忘記
抗戰期間
日軍以誘拐強擄手段
欺凌貧女的罪行
慰安婦　無可倖免
慰安婦　無可脫逃的
組肉命運啊

歷史審判終來
沉默的傷痕
不再沉默
讓慰安婦靈魂安息
讓慰安婦得到尊重

讓正義出聲
還她們一個公道吧

——二〇〇五年八月十一日

後記：抗戰勝利六十年，台灣第一本日軍慰安婦，歷史影像書——
「沈默的傷痕」於昨天見世。（九十四年八月八日）
天下文化聚焦在台籍慰安婦身上的「鐵盒裡的青春」出版。
婦援會攝影集「阿嬤的臉」出版。

懷台北二二八和平公園

圓頂型的　博物館
很藝術
旁邊的
和平公園
很詩意
它是約會的
好地方

三十年時光
久違了
很想念

如詩般美麗的綠色公園

象徵愛與和平
小橋邊
一個小角落
一棵翠綠色；很老的
相思樹

因爲愛
我們手牽手
走出悲情
走出仇恨

因爲愛
我們以詩
歌頌二二八
懷念二二八

——二〇〇四年二月二十八日　午後二時二十八分
（歷史的一刻）

溫暖

殘障老人扶著輪椅
步上坎坷的人生路

伊以蒼老的手
叫賣鮮紅欲滴的李子
擦肩而過
伊細微乞求的聲音說
買一串李子吧

鈔票放進她手中
她微笑的注視我
淺笑中道盡心中的
溫暖

愛台灣的心

咱是台灣人
勤儉的台灣人
台灣是寶島
生生世世
祖先沖著風浪來到台灣的

總統誰做攏一樣
攏是一家人
千萬不要啊
總統做不成
毀掉了台灣

來台灣的觀光客
日日如蜂窩
高喊橫貫公路眞偉大
卻不知
造路的佝僂老人今何在

老人生來眞打拼
溪仔邊洗衣撿柴火
膝下圍繞十多孫

溪水泥土是至親
他們是一隻台灣最憨的水牛

詩人問
【誰知水牛的心酸】？

觀自在

我從輪迴中　來
在萬劫中
重生

讓我心如明月
慾　念　皆　空
大悲心護我
永遠的法喜
我靈
依歸

詩頌阿里山日出

夜半，一群看日出的朋友
攀山越嶺　攀爬著高山的背脊
爲一睹汝莊嚴的尊容
爲壯麗的一刻

阿里山下
以虔誠之姿墊起腳跟引頸而盼
在阿里山下仰慕汝神采
等汝，在寂寞的山上
等汝，遠在天邊卻也近在咫尺的阿里山頂
那是恆久的痴心
神奇的一刻

遙遠山脈上，緩緩
露出　一點微紅

天空隱藏著一幅畫
隱藏著如謎的神奇
剎那間　變成
半個　炙熱火球
再望山脈上，已經
呈現　一團火焰
如　神的降臨
萬丈光芒
光芒萬丈
我　迷失於曠野千古的神奇
　陶醉於人間的仙境
在　凌晨五時四十六分
阿里山上

後記：日出時間通常不確定，海拔兩千兩百公尺
阿里山峰二〇〇五年八月二十八日（感動的一刻）

九十四年八月三十日　寫於桃園

愛在歌聲裡

——爲一位小兒麻痺症患者而寫

帶著我的愛來看妳
妳纖弱的身軀
躺在輪椅
輪椅是妳的搖籃
輪椅是妳的床舖
輪椅是妳的手
輪椅是妳的腳

帶著我的愛來看妳
靠近妳
溫柔看著妳

妳驚訝的眸中
閃著會說話的眼睛
彷彿看到
生命的春天

當我們一起歌唱
生命發出偉大的光與熱
當妳唱著望春風
充滿熱情
我心　著迷

帶著我的愛來看妳
我願散播愛的種子
在愛的角落
愛的季節

愛的歌聲裡

後記：關懷平鎮瑞園教養院，患者坐輪椅終生。

——二〇〇五年六月十七日

證嚴法師

台下　我坐著聽經
台上　您立正說經
慚愧啊

且問　您
一抹濃濃的眉間
藏有幾多愁

飛越杜鵑窩

挫折壓力生病
的朋友啊
放棄自我的理想
心中的樂園
寧願
躲在無人的角落
哭泣

朋友　相信自己
生命的調色盤
自己彩繪
勇敢

飛越杜鵑窩
迎向明日
自由的天空

——二〇〇五年七月二十三日

後記：關懷桃園榮民醫院，精神病友而寫

插鼻管的病人

側臥、引流
拍背、咳痰

如哽在喉
欲訴也
難

獨居老人

他獨坐陋室四顧茫然
像海上獨自飄流的
一葉扁舟

沉默的天空

沒有傷悲
沒有歡笑
只是無言的世界
在被遺忘的角落

遠處傳來幽幽的歌聲
少女唱著屬於她的
二字情歌

歌非歌
調非調　的
獨白

多麼寂寞啊
窗外依舊藍天
天空依舊美麗
問蒼天：
爲什麼她永遠的沉默？

——二〇〇五年五月三日

後記：關懷心燈—啓智教養院，爲「一字歌后」—曉芬而寫

愛在榮民之家

當我們同在一起時
手牽手　心連心
一個手語
是一個愛

一個微笑
一個關懷

當彼此道
我愛你時
那一刻

心田　充滿陽光

——二〇〇五年五月二十九日

後記：爲桃園榮民之家，精神病友而寫。

卷七　世界愛

悼依朗強震罹難者

巴姆強震後
各國搜救隊趕到
帶白菊、清香
和哀慟的心

我們未曾相識
但特地趕來
見你們化爲齏粉的泥磚屋
喃喃禱告
將白菊一朵朵灑在
捲縮扭曲的屍體上

我們特地趕來
祭你們臨去的驚嚇
嘆人間浩劫的陰影
也爲全世界祈福
我們親眼目睹一對
被埋瓦礫堆的父母
將小寶貝推出
然後
犧牲自己

我們特地趕來
念你們臨別的詩歌
悼你們墳場的家園
祭你們死去的靈魂

——二〇〇四年　春

日本瀨戶大橋

巴士經瀨戶大橋
目光被長橋吸引
俯視焦點
驚見高深莫測
如何形容
雄偉的工程

流連橋下
藍色的海
一波波 流轉著
異國的

萬種風情

晚禱

——題米勒·楓丹白露油畫作品「晚禱」

夕陽西下
天邊
紅橙黃白迴旋
霞彩滿天
映照麥田

我虔誠禱告
上帝能聽到
期待
和平的

179　晚禱

鐘聲響起
在世界
每個角落……

尋夢巴里島

飛過重山
飄過海洋

飛到熱情的島嶼
漫步詩意大花園

熱情的少女
獻花
一朵又一朵
頭頂簍筐的女人
令人好奇

走入夢幻的森林
迷人的
庫特海灘　早泳
啜一口 Berndchon
香濃的咖啡

這一刻
人間天
堂

救命第一線

——關懷饑餓三十

一個營養不良的兒童
一個體重不足的兒童
一個忍受饑餓的兒童
一個逃不過死亡的兒童

一天中　我們豐衣足食
一天中　地球八億人饑餓
一天中　地球八億人夜未眠

捐出您的零錢
一秒中

一個小動作　拯救
一條饑餓的　生命
救命第一線
饑
餓
三
十

後記：台灣世界展望會與 SevenEleven 聯合主辦，台灣固網和
YAH○○協辦的第十六屆饑餓三十人道救援行動九十四年八月十三日
高雄中山大學舉行（萬人三十小時的饑餓體驗二〇〇五年八月十四日）

王世眞（心柔）寫作年表

一九五三年　生於台灣省桃園市，父王明榮業商，母王呂秀卿曾任職台灣人壽保險公司專員。

一九七一年　第一首新詩作品：路，發表於彰化青年。

一九八〇年　結婚，於一九七三年跟隨夫婿遠嫁高雄。

一九九三年　第一篇文章：我將從恐慌症中走出來一文，發表於大成報。

一九九四年　皇冠叢書之心情故事第四集，發表第二篇文章：孩子！原諒媽媽吧。
聯合報發表第三篇文章：純樸鄉下成了觀「光」聖地。
加入台北生活調適愛心會會員，每期發表文章十年寫作未曾間斷，筆名：紫楓，發表文章。

一九九八年　九月廿日自由時報發表第四篇文章：精神官能症患者不孤獨。
自由時報發表第五篇文章：土芭樂加鹽酸草改善糖尿病一文。

二〇〇三年　十月六日，戰勝自己處女著作出版。
十月廿日，聯合報岡山記者採訪。
十月廿日，聯合報 B2 高雄版新聞刊出戰勝自己新書，由台北文史哲出版社出版。

二〇〇四年

十月底，接受慈濟大愛電視台錄影訪問。

五月二日接受：高雄廣播電台，海與風對話節目訪談新書—戰勝自己。

五月中旬，接受高雄中廣電台：早安向日葵節目訪談新書—戰勝自己。

五月中旬，接受高雄中廣電台—阿巴桑、阿吉桑來開講節目，訪談新書—戰勝自己。

六月，因緣際會，舉家遷居桃園，至此歸鄉。

桃園文化局建檔，爲文藝作家。

開始寫：新詩作品、筆名改爲心柔。

十一月進入乾坤詩社。

十一月廿一日自由時報刊戰勝自己教你掙脫恐慌症一文。

二〇〇四年冬季號32期乾坤詩刊，發表新詩作品：拭去、愛在虛無縹緲間。

二〇〇五年

春季號社團法人高縣安心會年刊，發表新詩作品：天禍與祈禱、蟬的世界。

二〇〇五年

秋季號三十五期乾坤詩刊，發表新詩：沈默的天空。

二〇〇五年

十月中旬七十二期「大海洋」雜誌，發表新詩作品：海之戀。且攜至大連錦州渤海大學及中國新文學學會發表。

二〇〇五年

冬季號三十六期乾坤詩刊，發表新詩作品：五月雪。

國家圖書館出版品預行編目資料

在那遙遠的地方 / 心柔（王世眞）著.-- 初版.--
臺北市：文史哲，民 94
面； 公分.--（文史哲詩叢；69）
ISBN 957-549-630-2

851.486 94021688

文史哲詩叢 ⑹

在那遙遠的地方

著者：心柔（王世眞）
郵政信箱：330 桃園郵局第 13-27 號信箱
郵政劃撥：19793369 吳愛琳帳戶
E-mail: j421115@yahoo.com.tw
出版者：文史哲出版社
http://www.lapen.com.tw
登記證字號：行政院新聞局版臺業字五三三七號
發行人：彭正雄
發行所：文史哲出版社
印刷者：文史哲出版社
臺北市羅斯福路一段七十二巷四號
郵政劃撥帳號：一六一八〇一七五
電話 886-2-23511028・傳真 886-2-23965656

實價新臺幣二二〇元

中華民國九十四年（2005）十一月十五日初版

ISBN 957-549-630-2